KB171785

여름의 눈

발 행 | 2024년 4월 16일
저 자 | 김유빈
펴낸이 | 한건희
펴낸곳 | 주식회사 부크크
출판사등록 | 2014.07.15.(제2014-16호)
주 소 | 서울특별시 금천구 가산디지털1로 119 SK트윈타워 A동 305호
전 화 | 1670-8316
이메일 | info@bookk.co.kr

ISBN | 979-11-410-8126-3

www.bookk.co.kr

雪夏

여름의 눈,
설하

여름의 눈

홍호 시

목차

작가의 말

안녕하세요. ‘설하’의 작가 홍호 紅蝴입니다. 저는 18살 작가입니다. 우선 필명 ‘홍호’의 뜻을 말씀드리자면, 붉은 나비라는 뜻으로 제가 좋아하는 홍색의 나비가 되어 뜻을 펴겠다는 의미입니다.

저는 시를 읽기를 참 좋아하고 그 시와 걸맞은 음악을 들으면 나른한 오후의 공기를 즐기는 평범한 학생입니다.

저는 우울증을 앓고 있습니다. 우울증이 열여덟 살, 올해 가장 심하게 다가왔던 것 같습니다. 그럴 때마다 저는 이불을 뒤집고 울고 학교를 며칠을 연달아 안 나가기도 했습니다. 저는 힘들 때마다 기대고 위로받을 곳이 필요했습니다. 저는 기숙사생인지라 밤 11시가 되면 12시까지 의무자습에 필수로 참여하여야 했습니다. 슬픔과 우울함에 휩싸여 공부가 되지 않고 마음이 힘들 때 저는 정독실 책상에 ‘나태주 연필화 시집’을 두고 생각날 때마다 펴봤던 기억이 납니다. 이게 제가 이 시를 쓰게 된 계기입니다.

저는 아버지를 13살에 여의었습니다. 우리 집은 가난했고 가난합니다. 때론 너무 힘들어 종일 이불을 뒤집어쓰고 울거나 나를 학대하기도 했습니다. 진정으로 힘들어하는 사람은 그 사람의 감정을 헤아릴 시도조차 하면 안 되고, 스스로 빠져나와야만 합니다. 저는 빠져나왔느냐고요? 저는 이제 이런 나 자신을 원망하기도 했지만 받아들이는 중입니다. 약에도 의존해봤고 상담치료도 해봤지만 제가 느끼기엔 외부의 도움보다는 스스로 빠져나오는 것. 그것뿐인 것을 사무치게 느꼈습니다. 그러니까, 본인을 믿으십시오. 그것뿐입니다.

저는 13살의 기억과 당시 했던 생각들을 곱씹어 보면 가슴이 아직도 시립니다. 겨울은 사라지지 않습니다. 시린 계절이 아예 소멸할 순 없지만, 손난로로 무뎌지게 따뜻한 어묵 국물로 녹일 수 있습니다. 추락하지 마십시오.

나, 작가 김유빈은 이 책을 읽는 모든 이들이 행복했으면 좋겠고, 제가 나태주 시집을 읽고 마음에 위안이 된 것처럼 저의 짧은 시집도 당신들에게 생각날 때 조금씩 읽을 수 있는 조금의, 일말의 위로와 사랑, 관심과 안부가 되었으면 좋겠습니다. 마음의 부담감을 일절 가지지 말고 아무 곳이나 내키는 대로 펴서 읽으십시오.

p.s 당신들의 어묵 국물이 되는 그날까지

12월

12월, 거리의 웃음들이, 행복들이
고드름이 되어 내게 박히는 계절

추락하는 계절

창밖의 아이들은 뭐가 그리 신난 지
키득키득하며 우드득 눈을 밟고 간다

그런 순백의 눈은 밤새 차가운 바람에
매 맞으며 뾰족한 고드름이 되겠지

투명한 고드름에 나를 한번 비추어 본다
나는 왜 웃지 못하는가

고드름이 추락한다
누군가 고드름에 아파할 수도 있겠지

그대들의 12월은 어떠한가
그대들의 12월은 안녕하신가

2014년 12월 25일

크리스마스, 성탄절, 예수의 탄생

밤늦게 오는 엄마를 기다리며
저녁 6시를 지나 어느덧 밤 11시

자기들 생일도 아니면서
뭘 그리 신나는지

엄마가 밤늦게 일을 끝내고 왔다
시간은 12시 25분
그러곤 뒤늦게 건네는 선물, 머리핀

12월 26일, 머리핀,
크리스마스, 나의 코스모스

*코스모스 꽃말 소녀의 순정

유서

나는 이제 죽는다. 사는 동안 많은 일이 있었다. 만으로 16년밖에 살지 않았지만, 같은 시간을 산 다른 이들보다 나는 더 많이 아팠다. 살면서 슬픈 일도 기쁜 일도 많았다. 나는 이제 초등학교 때 헤어진 아빠를 보러 갈 것이다. 죽고 싶다는 생각을 참 많이 해봤다. 사실 죽을 생각을 참 많이 했지만 죽지 못했다.

난 죽음이 더 이상 두렵지 않다. 그러니 다른 이들도 내 죽음에 대해 연연하진 않았음 좋겠다. 다른 이들은 죽은 나의 이름을 보고 내가 살아온 인생에 대해 알지도 못하고 그저 의식적으로 태우고 묻고 장례를 치르겠지.

내 삶은 기구했다. 슬펐고 많이도 울고 이 짧은 유서에다 적을 순 없을 정도이다. 지금 나한테 소중한 엄마, 아빠, 내 사람들 다 보고 싶다. 사는 동안 엄마랑 참 많이 다퉜고 함께한 시간이 너무 적다. 이렇게 많이 만나지도 못했는데 죽다니 슬프긴 하다. 하지만 이기적인 생각인 것 같긴 하지만 죽은 뒤엔 생각이 없다고 생각해 더 이상 슬퍼지고 싶지 않아 먼저 죽는 게 오히려 좋다고 생각한다.

난 내가 좋아하는 아빠를 오랜만에 만나러 가는 것이니 축하해주고 응원해주시길. 이 유서에 언급하지 않았지만 나는 내 인생에 잠깐이라도 스쳐 지나간 이들도 정말 고맙고 더 이상 보지 못해 아쉽다.

그리고 살면서 엄마가 제일 싫었고 엄마가 존재하는 사람 중에 제일 좋다. 엄마가 미친 듯이 싫어 내가 죽고 싶기도 했고 엄마가 없었으면 좋겠기도 했고 엄마가 평생 나 때문에 죄책감을 느끼고 괴로워하며 살았으면 좋겠다고 생각도 해봤다. 하지만, 마지막이니 증오로 마무리하진 않을 것이고, 사랑했다고 말하고 싶다. 사랑한다. 엄마도. 모두다. 잘 계시길.

유서

[illegible]

[illegible]

나의 열여덟

열여덟, 이름만 들어도 죽고 싶어지는 단어

나의 열여덟은 왜 이리 아플까
그대들의 열여덟도 이리 아팠는가

나만 아프다면 그 이유는 무엇이며, 끝없이 죽음을
갈망했지만 나는 왜 아직 이 자리에 있는가

끝없이 추락하는 낭떠러지

그리고 나는 그 아래에 있는 돌멩이

비밀번호 3805

우리 집은 항상 열려있다
열었다 닫았다

옆집 은지도
앞집 할배도
들어왔다 나왔다

어느 날 도어락을 설치한다고 사람을 불렀다.

우리 아버지 전화번호 뒷자리 3855,
3855로 해달라고 했다

기사님이 3805라고 들었나 보다

우리 집 비밀번호 3805

삑　　삑　　삑삑
삑　　삑　　삑　　삑

수박 화채 만드는 방법

준비물
얼음 한 판
고당도 수박 1/2 통
사이다 한 병
우유 300mL

시린 얼음을 딱딱한 얼음을
단 수박으로 중화시키기
얼음을 녹이기

그러면 맛있는 수박 화채 완성

청춘

열 번의 불완전에
어쩔 줄 몰라하고,

그저 맨발로 뛰어내리길
대여섯 번

무너져가는 나의 계절들에
피어나는 바람꽃

아, 마침내 만개

여름

아, 결국 여름

나의 여름은
작년 여름에 멈춰있다

너와의 사랑을 맹세한
오렌지빛 잔디밭 위
황혼.

잊지 않기 위하여
잔뜩 삼켜본다
되뇐다

청형.
우린 오렌지빛에 질식

오래된 것을 대하는 법에 대하여

오래된 것에 잠기어 헤어나오지 못할 때가 있다
나는 과거에 살고 있다

길거리에 사람들이 폴더를 쓰고
줄 이어폰을 끼고 다니는
나는 과거에 살고 있다

과거에 살기에 과거의 기억을
되뇌어 단 1개의 기억도
놓친 적 없다

그 속엔 슬픔도 기쁨도 섞여 있다

당신들이 오래된 라디오를 집 한켠에 보관 중이듯이
오래된 기억도 보관

절망

세상이 무섭다
내가 지금 발을 딛고 있는 이
세상이 무섭다

사랑하는 이의 죽음을 이미 경험했다
사랑하는 이가 사라질까 두렵다

사람들이 무섭다
때론 사람들의 눈을 잘 못 마주치겠다

당신들만은
나를 떠나지 말아 주길

부디 계속 함께 있어 주세요

아버지가

딸아 어디 있니?
아빠는 우리 딸 보고 싶어
오늘도 널 그리며 울고 있단다.
하루, 도 하루가 가는데
너와 난 전화 통화조차 할 수가 없구나
그리운 딸아
사랑하는 딸아 보고 싶구나
목소리라도 듣고 싶구나

초등학생이 아버지에게

아빠! 요즘 아빠가 너무 그리워졌어.
아빠 보고 싶어. 사랑해 미안해…. 아빠가 너무 보고 싶어 자주 눈물이나…. 그리고 아빠 방에서 살고 싶어. 그리고 아빠는 나를 진심으로 사랑해줬는데…. 나도 아빠를 많이 사랑했지만 내가 아빠한테 전화를 자주 해주었으면 지금 내 옆에 아빠가 있을 수도 있었는데…. 그게 후회돼…. 내가 큰엄마한테 억지로라도 병원에 데려다 달라고 한마디만 해도 되었을 텐데…. 너무 후회돼
그리고 아빠가 너무 보고 싶어 내가 아빠 얼마나 사랑하는지 알지? 사랑해. 아빠는 인생을 너무 힘들게 살았으니 내가 기도할게. 꼭 천국에 가서 좋게 지내고 나 잊으면 안 돼 나도 아빠 절대 안 잊을 거야 진짜 꼭 천국 가서 웃으며 나를 내려다봐 줘 나도 자주 하늘을 올려다볼게. 비록 지금은 눈에 안 보이지만 나중에 천국 가서 꼭 만나 언젠간 꼭 만날 날이 올 거야 아빠도 갑자기 아빠가 죽으니까 놀랐지? 아빠 미안해…. 진짜 사랑해 아빠

아빠 바보 딸이
천국에 계신 아빠께

아버지의 2010년 1

웃음을 잃어버린 지 오래됐다.
만사 웃을 일이 없다.

가끔 친구 우스개는 웃기지만
얼굴만 웃고 속으론 우습지가 않다.

딸이랑 가식 없이 마음껏 웃고 싶다.
딸아!

아빠 한번 웃겨줘라
마음껏 웃어보게….

아버지의 2010년 2

무식한 놈 먹을 연구만 한다더니
내가 그짝이다.
일 없는 날은 뭘 먹어야 하나. 마땅히 먹을 게 없다.
라면, 짜장면, 볶음밥
메뉴가 정해져 있다.
집사람 있었으면 회 밥도, 고등어든
나물에 고추장 비빔밥은….
배가 많이 고프다.
무식한 놈

나의 일기장

다 내가 모나고
스스로 비관하기 때문
별 대수롭지 않은
나에 대한 한마디가
내 어렸을 적 상처와 만나
더욱 깊게 파고든다

이건 해결할 수 없는 문제이다
어렸을 적 상처는 내 잘못이 아닌 건 아는데,
그것 또한 내 인생이다

내 인생은 첫 단추부터 실패였다
조만간 죽을 거다

죽을 마음의 준비, 주변 사람들에게
감사 표시를 하고 있는데 살면서
난 좋은 사람은
아니었나보다

날 진정 걱정하는 사람은 손에 꼽는다

9살의 사랑

그 애가 거슬린다
자꾸 신경 쓰이고 얼굴이 딸기처럼 되네
그 애는 내 짝꿍

친구들이 좋아하냐고 물어보는데
좋아한다는 게 뭔지는 모르겠고
부끄러워서
버럭 화를 내본다

그런 애가 뭐가 좋다는 건지

그 애의 관심을 끌고자
그 애의 몽땅 연필에 테이프를
칭칭 감아본다

나를 한 번 더 봐주겠지
그 애가 운다

내가 잘못했나 보다
그런 뜻이 아니었는데….

사랑의 삼각형 이론

낭만적 사랑
도취적 사랑, 좋아함

우애적 사랑
좋아함, 공허함

얼빠진 사랑
공허함, 도취적 사랑

우리는 뭐야?

성숙한 사랑을 향하여….

여름의 눈

여름아 날 왜 그런 눈으로 보느냐
나 또한 여름의 달궈진 대지에
피어난 일렁이는 환상에 속아
허상을 믿는 것 같으냐

보아라

눈이 내리지 않느냐
나는 저 눈을 모아
純白의 능시凌澌를 만들어

여름의 눈이 되어야지
홀로 굳세야지

사죄

당신에게, 여태껏 함께한 세월 동안
소중하게 대하지 못하여
미안하오

그저 내가 바라는 건
당신과 선선한 밤
손을 맞잡고
잔디밭에 앉아
아무 말 없이
서로를 느끼는 것뿐.

당신이 나를 떠날까 무서워
뒤늦게 사죄하오

내가 잘못했소

감기

감기엔 약이 없다는 것을
다들 알고 계시는가

우리가 먹는 약은
증상만을 완화하는 약일 뿐

마음의 감기도 마찬가지
증상만을 완화하는 약일 뿐

필요한 건
그저, 사람의 온기

애정을 갈구

거기 당신!
나를 한 번만 봐주세요
사랑해 주세요

스치는 잔가시에
너무 큰 상처를 받는
쉽게 아파하는 나를
사랑해 주세요

거기 당신!
나를 한 번만 봐주세요
사랑해 주세요

어머니에게

나를 좀 더 사랑해 주지 그랬습니까
나와 조금 더 같이 있어 주지 그랬습니까
같이 밥 한번 먹는 게 그리 어려웠습니까

당신을 평생 원망하며 살아왔습니다
당신의 삶도 나처럼 기구했겠지요
당신의 삶에 대해 생각해본 건 처음이네요

이제는 당신을 이해하려 합니다
그동안 당신을 증오하고 원망하던 시간이
아깝네요

당신에게 부탁 하나 하려 합니다
부디 나를 한 번만 더 봐주세요
나를 좀 더 사랑해 주세요

아이

아이야,
세상을 두려워하지 말렴
겁먹지 말렴

먼 훗날 세상이 두렵거든
설령 나를 버리고 싶거든

문을 열고 나가
네가 좋아하던
우유 한입이면 어떻겠니

네가 잘 접는 비행기를
고이 접어 텅 빈 하늘에
날려보면 어떻겠니

아이야,
세상을 두려워하지 말렴
겁먹지 말렴

작별한 친구에게

안녕!
그동안 잘 지냈니

나는 너에게 좋은 친구였는지
그랬으면 좋겠다

내가 무엇을 잘못하였기에,
그리 나를 피하였니

나는 아직도
그때를 생각하면 너와 내가
함께 웃고 떠들던
교실로 돌아간단다

그건 알아둬
나는 아직
너를 좋아한다

너

거기 너!
아까부터 나를 왜 자꾸 힐끗
쳐다보는 거니

내가 한 말이 마음에 들지 않았니
내가 너무 비관적으로 보이니
너무 자주 울어서 시끄럽니
나에게서 우울한 기운이 옮았니
보기만 해도 기분 나쁘니

그랬다면
내가 정말 미안해

아버지의 편지1

어린이집 차를 기다리느라 아이들이
우체국 앞에 모여있다.
물끄러미 바라봤지만, 우리 딸은 없다.

엄마 손 잡고, 저희끼리 재잘대고 장난을 치고
천진스럽다

우리 딸도 같이 있었으면 나도 거기 있으련만….

어딘가에서 우리 딸도 어린이집 차를 기다리며
엄마 손 잡고, 때론 웃으며 아니면 짜증 내며 보채겠지

눈에 선하다

이런 마음을 아는지 모르는지
전화가 없으니 답답하다

몇 번이고 우리 딸 사진을 만져본다

아버지의 편지2

우리 딸 입학했다.
일이 있어 가지 못해 안타깝다

세상에서 가장 소중한 순간….

소중한 아이….

나의 졸업식

졸업, 고등학교를 졸업한다.
문득 지나온 졸업식들이 생각난다

아버지와 함께한 졸업식이 단 한 번도 없었다

아, 일이 있어 못 온다 했지

대학교 졸업을 기다린다

그때는 꼬옥 와줬으면 좋겠다….
기다릴게

즐거운 우리 집

돈, 돈이 무엇이길래
우리 가족에게 이렇게 큰 고통을 주는 걸까
집사람은 오늘도 돈타령이다
'우윳값 없다' '애 여름옷이 없다'라고….
큰돈은 아니었지만
나름대로는 벌어다 줬다 생각했는데
늘 부족했나 보다
더 열심히 할 수도 있었는데
조금만 신경 써주고 작은 것에 소중함을 알았더라면
어리석은 나는 물불 가리지 않고
일에 매진하고 돈을 좀 더 많이 벌어 왔을 텐데….

빨간딱지

어느 날 우리 집에 생긴 빨간딱지
심란하다

난 앞으로 어떻게 살아가지
자퇴해야 할까

때마침 들리는 소식
엄마의 암 투병

나는 대체 전생에 무슨 잘못을 저질렀을까
이번 생은 나에게 아마 벌이겠지

아, 하나님
저를 도와주세요….

아멘

나의 고향

나의 고향은 90년대에 멈춰있다

외양간에서 소를 키우고
닭도 키우고
아직도 구공탄을 쓰는
반딧불이가 날아다니는
올려다보면 밤하늘
무수한 별들이
우수수 내려와
나를 집어 삼켜버릴 것만 같은
나는 이런 고향이 좋다

아직 그곳은 나의 어릴 적
아카시아 향이 그대로

나의 사람들에게

항상 약한 모습만 보여 미안하오
힘든 모습만 보여 미안하오

내가 이런 우울한 모습만 보이면
당신들은 나를 좋아하진 않겠지

하지만 이런 나도 나이니
이해해 주시길

그런 나와 지금의 나를 구분한다면
당신은 나의 사람이 진정 맞는지

늘 헌신적인 나의 사람들에 대한
나의 사랑이….

정녕 헛된 것인지

彬

빛날 빈,
우리 아부지가
작명소 도움받지 않고
한자 뜻을 맞춰가며
직접 지어주신 소중한 이름

의미는
씩씩하게 대답하여 빛나라

아, 아부지
그런데
난 지금 빛을 잃었는걸요

21세기의 가난

어릴 적 엄마와 단둘이 살던 집
갓길에 어색하게 있는 조그마한

그곳에서 내가 본 것은
내 얼굴만 한 벌레와
냉장고에 들어간 쥐

지금은 사라진 그 집
주차장이 되었네

엄마와 한 약속
육학년이 되면 일 안 가고
계속 나와 같이 있기로

남은 것은
약속 불이행

화살표

내
삶의 지표
는 없다 삶의
이유가 없다. 목적이 없기에 죽을까 생각도 했었
다 이 긴 삶을 허무하게만 보내야 하는가 나는 왜
존재하는가 없다는 것이 있다는, 각자의 삶만
홀연한 허상
뿐인 이
곳

절정

절정, 최고의 경지에 달한 상태.
네가 나를 당겨
품에 나를 안을 때

너의 비누 향이 나에게 밀려와
황홀.

그의 향과 온기에 묻혀
사흘을 앓았다

아, 황홀 절정이라고 이름 붙여야지

당신에게 쓰는 편지

누구나 불행을 안고 살겠지
당신이 어떤 불행을 안고 있는지
헤아릴 순 없지만

그것만은 명심하오
당신만이 이겨낼 수 있소
나를 해하고 싶을 때

하얗고 뽀얀 살갗을 버리지 마오
그럴 땐 아이스크림을 꺼내
팔에 대고

녹인 후 드시오

PS. 아, 막대 아이스크림은 끈적거려서 안 돼!

어떨 것 같아

내가 어느 날 사라져서
영영 볼 수 없다면
너는 어떨 것 같아

그러면

내가 자살하면
너는 어떨 것 같아

아, 걱정하지는 말고
지금 당장 계단을 올라가
옥상에서 뛰어내릴 생각은 없어

죽을 때까지 사랑해

둘 중 누가 먼저
죽을지는 모르겠지만

네가 먼저 죽으면
난 살아갈 수 없을 것 같아
한낮 한 시 같이 죽도록하자

그러지 않으면
나도 내가 어떻게 될지 몰라

그러니 죽을 때까지 사랑해

이과식 사랑

당신에게 왜 자꾸 지갑, 향수
심지어는 마음마저
왜 자꾸 주느냐고 묻거든
이렇게 답하시오

내가 당신에게 지갑, 향수, 마음만 주는 것 같으냐
함수를 적분시키면
적분 상수가 있듯이
나의 사랑 또한
당신에게 주었는데

사탕

아, 밀려온다
모든 것이 파랑으로 보이는

슬픔이라는 바다에 갇혀 질식할 것만 같다
살고 싶어, 아니 살기 싫어

질식할 것만 같은 이 느낌이 난 너무 싫은걸

한 번에 이틀 치를 먹어버렸네
이제 괜찮아지겠지, 괜찮았으면 좋겠다
아니, 그냥 죽어버렸으면은 좋겠다

슬픔을 토하였다
눈물을 뱉어내었다.

이제 나에게 남은 건 속이 빈
육체와 시린 영혼뿐

내가 좋아하는 건

내가 좋아하는 건 잔잔한
음악을 들으며 반신욕 하기

내가 좋아하는 건 너와 조그만 우산을
나눠 쓰고 소나기 사이를 가르는 것

내가 좋아하는 건 한여름 선선한 방에서
너와 따뜻한 이불을 뒤집어쓰는 것

내가 좋아하는 건 아무 생각 없이
너와 입을 맞추는 것

내가 좋아하는 건 그저, 너

사랑 종말

모든 것을 당신에게 주고 난 후였다
함께 죽자고, 함께 묻히자고 약속했으면서

이런 게 사랑이냐?

사랑이다
나는 사랑으로 보인다

당신이 이것을 사랑으로 보지 않는 까닭은
사랑의 향을 느낄 수 없기 때문이지

쓸쓸하고 외로운 이 향이
너는 느껴지지 않느냐

불연속을 연속으로 만드는 방법

너의 연속된 세계와
나의 연속된 세계가 만나는
어긋난 지점

서롤 다른 세계지만 만났다
무한대의 좌표에서
0으로 수렴하는
무한대 분의 일의 확률이겠지 아마

너와 나의 어긋난 만남을
마음이 맞춰주겠지

자, 우리 이제 눈을 감도록 하자

너와 내가 연속되는 이 세계에서

멋쟁이 인생

무수한 바람에 매 맞고도
나는 아직 청춘이다

난 웃고 싶다
앞으로의 남은 날들이
가난해도
굶주려도
멋쟁이 선글라스 끼고
멋쟁이가 되어야지

우울과 마주 보고
화해하는 그날까지

사랑해

사랑해 사랑해
사랑해사랑해 사랑해사랑해
사랑해사랑해사랑해 사랑해사랑해사랑해
사랑해사랑해사랑해사랑해사랑해사랑해사랑해사랑해
사랑해사랑해사랑해사랑해사랑해사랑해사랑해사랑해
사랑해사랑해사랑해사랑해사랑해사랑해사랑해
사랑해사랑해사랑해사랑해사랑해사랑해
사랑해사랑해사랑해사랑해사랑해
사랑해사랑해사랑해사랑해
사랑해사랑해사랑해
사랑해사랑해
사랑해

PS.너도 그렇지?

내가 왜 좋으니

아아, 나를 왜 좋아하니
너는 내가 왜 좋니

나조차 나를 사랑하지 않아
나를 해하는데,
너는 이런 내가 뭐가 좋으니

그저 일렁이는 여름날 얇은 커튼 사이로
불어오는 바람에, 갑자기 내린 소나기에

미화된 것이 아니냐

추상의 구체화

사랑은 형태도 맛도 향도 나지 않는데,
사람들은 그 보이지도 않는 것에
시간도 돈도 감정도 다 써버린다

사랑한다는 말을 바꾸는 것이 세상에서
제일 쉬운 일이거늘

멍청한 그들은 아직도 알지 못하나 보다

아니, 멍청한 건 나였나

정신질환

나는 정신이 온전치 못할 때
네가 더 좋다.

나를 정신이상자라 불러도 좋다
네가 너무 좋아, 나를 망쳐도 좋다

나를 해하기 시작

그럼 너는 그런 나를
미워하기 시작하겠지

어쩌면 흉측하게 느낄 거고,
괴물처럼 생각하겠지

다시 나를 해하기 시작

한도 초과

준비물
심장 두근거림 220bpm
물 500mL
너를 생각 *70EL
설탕 여섯 숟가락
달걀 한 알
버터 30g

170° 오븐에 20분

조금 적게 넣을 걸 그랬나….
너무 달아

아, 사랑을 정량화하지 말아야 했나 보다

*한 시간 당 한 번 너를 생각하는 횟수를 1EL로 정의하겠음
1EL=Endless Love

프로작

나는 정상이 아닌것일까
정상이 아니면 비정상이겠지

나를 정상이 아닌 축으로 이끄는
나를 확정 짓는 그런 말들이
나를 정의하는 그런 말들이

더 아프게 만든다

나는 정상이 아닌것일까
정상이 아니면 비정상이겠지

그 남자

하얀 얼굴에
말랑한 볼
이미 오래전 살에 베여있는 비누 냄새와
두텁고 말랑한 입술
선해 보이는
잔뜩 처진 눈
특히 그 눈에 더 집중되는 곳은
그의 짙은 쌍꺼풀

안내장

나는 다른 아이들과 조금 다르다
그러니까 꽤나 특별하다

선생님이 몰래 은밀하게
나만 따로 불러서
비밀 안내장을 건네준다

어떨 때는 비밀 안내장이라면서
아이들 앞에서 그냥 주기도 한다

나이를 하나둘 먹을수록
부끄럽고
화나기도 하는
나의 비밀 안내장

그러니까 꽤나 특별하다는 말로 포장해본다

사랑하는 이와의 이별들

우리 만난 지 얼마나 되었다고
이별해야 하는 거야

가벼운 만남일지라도
나한테는 절대 가볍지 않았어

어떤 이별도 슬프지 않은 이별은 없어서

그 여름밤

그 여름날
알코올에 취해
당신이
같이 죽자고 한 그 여름날을
나는 잊을 수 없어

그 조용한 여름밤의
나의 울음소리가….

해파리

프러시아 블루
그리고 윤슬

춤을 추는 산호초의 비좁은
틈으로 비치는

은빛 끄나풀
맑은 우주선

너는 어느 우주에서 왔냐고 묻거든
반야의 순간이라 답하리

외사랑

그이는 왜 나를 좋아하지 않는가
아니, 왜 나를 싫어하는가

아마 내가 나만의 섬에 갇혀
썰물에 밀려
헤어나오지 못하기 때문이겠지

그쯤이야
깊고 찬 바다의 은빛 파도를 거슬러
그의 섬에 가는 것쯤이야

去者必反

잊지마
설령 지금 우리가
이 무월야의 대지에선 다신 보지 못하여도

절대 맞물릴리 없는 평행한실 이여도,
너의 공간과 나의 시간이
일치하지 않아도

너와 나의 변치않는
마음, 그거 하나면 족해

그러니까
우린 만날 수 있을거야

잊지마
설령 지금 우리가
이 무월야의 대지에선 다신 보지 못하여도

사랑의 끝

네가 없으면 내 세상은
끝난다고
나는 믿어왔다

너와 나의 관계의
명분이 정리되어도
보아라, 아직 세상은 그대로

이제, 나는 네가 없어도
살 수 있을 것 같다

너도 이제 내가 없어도
살 수 있을 것 같니

앞으로도 잘살아 볼게

명왕성

너에게서 버려져도
너의 사람이 아니게 되어도

나는 여전히 너의 주위를
맴돌아

아마, 내가 빛나지 않아서겠지
눈에 띄지 않아서겠지

이제
나는 외로운 왜소행성

순애

당신을 처음 본 순간부터
아니, 그 전부터
정해졌습니다

당신과 나의 눈이 맞물리는 순간
만물의 고요
그리고
그 순간만큼은
우리의 숨결이 흐를뿐

당신을 진정 순애합니다

순애[1] [殉愛] 사랑을 위하여 따라 죽을 만큼 모든 것을 바침.
순애[2] [純愛] 순수하고 깨끗한 사랑

이별을 고함

진심으로 한 말이 아닌 건 알지만
그의 입에서 이별이 나올 리 없다

설령 진심이 아니어도
제 분을 못 이기고 한 말일지라도
일말의 진심이 숨어있겠지
아니, 내가 싫은 것이겠지

잊을 수 없다
몸속 신경의 불을 붙이는
심장이 가위로 오려지는

영혼의 죽음
오늘부로, 나의 영혼은 죽었다

부탁드리는 말

이 글을 읽는 내 사람들아
나에게 이 글은 나의 일부이니, 내 눈물이니

나에게 와
무거운 나의 이야기들을
깃털조각으로 만들어
별것 아닌 존재로,
티끌로
만들어 버리지 마십시오

글을 마무리하며….

이 시집을 쓰게 되며 의도하진 않았지만, 전체적으로 암울하고 무거운 이야기들이 많아지게 되어 한편으로는 이런 부분에 대해 비판받을 것이라는 생각 또한 하게 되었습니다. 하지만 온전히 나에 관해 쓴 첫 시이기에 이것 또한 나라고 생각하기에 시가 암울하다는 피드백은 수용하지 않을 예정입니다.

'겨울의 눈'을 쓰며 인상 깊은 시중 하나는 '21세기의 가난'인데요, 이 시를 보면 저의 어린 시절이 선명하게 떠오르네요, 제 인생을 영화로 비유하면 서론 정도로 볼 수 있겠네요. 누군가는 가엾게 여기고, 누군가는 공감하겠지만 저는 어린 시절 이런 고난들이 모여 지금의 나를 조금 더 단단하고 남들보다 성숙하게 했다고 생각하기에 후회하지 않습니다. 따라서 만약 나의 글들에 공감하는 이라면 응원하고 위로해주고 싶습니다.

또한, 이 시를 쓰게 되며 죽음에 대해 생각을 정말 많이 해봤는데, 자연의 순리이기에 받아들여야 한다는 것은 객관적으로 참이지만 그 과정에서의 감정들이 아직도 받아들여지지 않습니다. 죽음에 대한 생각은 결론을 내리지 못해, 조금 더 길게 생각을 정리해보고 말씀드려보도록 하죠.

첫 시집을 마무리하며 앞으로 더 열심히 시 공부도 하고, 더 많은 시를 모아 또 다른 시집을 쓰고 싶다는 생각하게 되었습니다.
때문에 수능이 끝난 이후 또 다른 새로운 시들을 창작할 예정이고, '시'라는 갈래뿐만 아니라 소설, 에세이도 쓸 계획입니다. 많은 관심 부탁드립니다.

雪夏

여름의 눈,
설하

Instagram @rumfw